人生カンタンリセット！

夢をかなえる「そうじ力」

そうじ力研究会代表　舛田光洋　Masuda Mitsuhiro

DREAMS COME TRUE

総合法令

まえがき　運命の大逆転をあなたへ

そうじには〝力〟があります。

その力を使ってそうじをすると、確実に効果があらわれます。

その効果とは、**人生におけるさまざまな悩みや問題の好転、事業の繁栄、幸せな家庭、夢の実現……**。

「えーっ!? そんなまさかー」と思われるでしょうが、事実なのです。

この力を「**そうじ力**」と私は名付けました。

単なる汚れを取るだけの「そうじ」ではないのです。

「そうじ力」なのです。

この力の仕組みと使い方を知ったならば、どんな人でも驚くべき効果を体験できるようになります。

誰でもできる簡単な「そうじ」で、人生が変わるのです。

「そんなことは、ちょっと信じられないなぁ……だって、そうじでしょう。学生時代になんとかしてサボろうとしか考えていなかった、あの〝そうじ〟だよね」

はい。あなたの気持ちもよく分かります。

じつは、このそうじの力を使って、素晴らしい夢の国をつくり上げたところがあるのです。

どこだと思いますか？

それは**「ディズニーランド」**なのです。

ここの影の主役は、６００人のカストーディアルと呼ばれる清掃スタッフです。

３００名ずつ交代で、自分のエリアを必ず15分ごとに回って、徹底的にキレイな空間をつくりだしています。

そのため、15万坪の東京ディズニーランドのパーク内には、ゴミひとつないのです。本当にないのです。

このゴミひとつない空間にあらわれた現象は何だと思いますか？

それは、おとぎの世界、夢の世界、天国のような世界……。

それはそうですよね。夢の国にはゴミなんて落ちているはずはありません。

ゴミからはマイナスエネルギーが出ていますから、そこに天使は舞い降りることはできません。


ウォルト・ディズニーがそうじの力で実現した世界、それは愛のある人たちの住む、天国のような夢の世界だったのです。

そこには多くの人たちの笑顔、愛と勇気、夢や希望、癒し、豊かさなどが満ちています。


経験ありませんか？

ディズニーランドに足をふみ入れたとたん、大の大人のはずなのに心がウキウキして、まるで背中に羽根でも生えたかのように体が軽くなる。

見るものがすべてキラキラ輝いて見える。
そう、どんな人でもここでは「いい人」になってしまうのです。

ウォルト・ディズニーはこのように語っています。
「ほら、見てごらんよ。こんなにたくさんのうれしそうな顔を見たことがあるかい？
子どもも大人も、こんなに楽しんでいるところを……。
私はひとりでも多くの人に、笑顔でパークの門から出て行ってほしいんだ」

ウォルト・ディズニーが夢見た世界を根底で支えているもの。
それはキレイな空間の持つ力。
これが「そうじ力」なのです。

あらかじめお伝えしておきたいのですが、この本は決して、単なるそうじの勧めの本でもなければ、そうじをすることだけを目的とした本ではありません。
プロのそうじは別として、家や会社をキレイにするそうじは、特別なスキルはほとんど必要ありません。

ぞうきんをしぼることができればＯＫです。


誰でもが、今日から実践できて、そして、そのときに少しだけ「意識」を変えるだけで、**平均21日で劇的な変化を体験**できるのです。

感性が鋭い人は、その日のうちに実感できます。


この本を読み終え、実践してみたとき、「運命が好転する秘密」を多くの人が実感されることでしょう。

実際に私は、多くの方々が人生の「奇跡」を体験するところを目の当たりにしているのです。


あなたのいままでの人生が、もし、失敗や挫折の多い人生であったとしたら、それを嘆く必要はありません。

それは、あなたの人生をさらに光り輝かせるために用意された、最高の演出だったと思ってください。

じつはあなたは、最高の強運の持ち主なのです。
なぜなら、この本に巡り会うことができたからです。
これよりのち、**運命の大逆転をはじめてください。**
あなたは、それだけの力を持っているのです。

本書が、あなたの幸せで光に満ちた未来を切り開くための「きっかけ」となることを、心から祈っています。

そうじ力研究会　舛田光洋

夢をかなえる「そうじ力」★　もくじ

1章　人生を劇的に変える「そうじ力」

2章 どん底からよみがえる驚異のパワー「マイナスを取り除くそうじ力」

3章 夢をかなえる強運パワー「プラスを引き寄せるそうじ力」

4章 21日目、あなたは成功者体質になる!

装丁　　　／冨澤崇（EBranch）
本文イラスト／大橋ケン

1章

人生を劇的に変える「そうじ力」

人生に満足していますか？
部屋はキレイですか？

この本を手に取られたあなたに2つ質問があります。

あなたは、あなたの人生に満足していますか？

あなたの部屋は、キレイですか？

この2つの質問にイエスと答えられる方は、まれであると思います。

自分の人生に満足せず、部屋の中はとりあえず生活できれば多少汚くてもいいや、という方が大半なのではないでしょうか。

または「私は、キレイな部屋は苦手だ。ちょっと汚いくらいが落ち着く」という方もいるかもしれません。


ここで私はあなたにお伝えしておきたいことがあります。

それは、**「あなたの住む部屋が、あなた自身である」**ということです。

つまり、**「あなたの心の状態、そして人生までもを、あなたの部屋があらわしている」**ということなのです。


いま、この本をご自宅で手に取られている方は、部屋を見回してください。

本屋で立ち読みしている方は、あなたの家の部屋を思い浮かべてみてください。


毎日の食事をするダイニングテーブルの上に、たくさんものが乗っていませんか？

食器を下げたキッチン周りはどうですか？

レンジの周りは油でギトギトしていませんか？

電子レンジの中の回転皿は、食べ物で汚れていてもそのままになっていませんか？

洗面所の鏡は飛び散った歯磨き粉がこびりついていませんか？

一日の疲れを癒すお風呂は、カビだらけじゃないですか？

テレビの上や本棚などほこりがかぶっていませんか？

トイレはどうですか？

窓ガラスは？

玄関は？

結婚している方は、自分のテリトリー内、例えば、パソコンデスクの周りや本棚などを見てください。


それが、「あなた自身」であるのです。


かなり衝撃を受けた方も多いと思います。

もう一度、お伝えしますよ。

「あなたの住む部屋が、あなた自身」なのです。

不幸の磁場をつくる汚い部屋

私は長年、ハウスクリーニングの仕事をしてきました。

そのおかげで、たくさんの方の部屋に入る機会がありました。

庶民的な方の家から、お金持ちの方の家まで数多くの部屋に入ってきたからこそ、私は「あなたの部屋が、あなた自身である」ということが言えるのです。

お金持ちの家でも、悪徳な仕事で成金になった人の家は、ごちゃごちゃしていて汚かった……。

衣類は散らばり、出したものは出しっぱなし、キッチンも汚れた食器の山でした。

その成金の社長さんは、やはりいつもイライラして不満げな顔をしておりました。

逆に本当の意味で豊かで幸せそうな方の家の中は、無駄なものがなく、スッキリしていて、本当にキレイでした。

キレイさを保つためのハウスクリーニングでした。


また、私は一時期家庭教師の派遣業をしていたことがあり、ここでも数多くの方の家に入ったことがあります。

ここにもまた、面白い法則がありました。

それは、部屋の中がごちゃごちゃして汚い家は、母親が子どもの教育に異常に力を入れていました。

そして、夫婦仲がうまくいっていないというパターンでした。


ちなみに、この法則は、私だけが気が付いていることではないようです。

あの突撃レポーターとして有名だった東海林のり子さんが、以前テレビで言っていたことがあります。

犯罪が起こった家に取材に行くと、例えばそれがマンションで起こった場合、そのマンションの外観を見ただけで、どの部屋で事件が起こったかが分かるそうなんです。なぜなら、ベランダに出してある植木が枯れていたり、遠めに見てもごちゃごちゃしていたりと、とにかく他の部屋とくらべて明らかに汚いので一発で分かるらしいのです。

さまざまな部屋と人を見てきた私の結論は、やがて単純なところに落ち着きました。それは部屋が汚い人は不幸感覚が強く、部屋のキレイな人は幸福感が強いということです。

そしてそれだけにとどまらず、**部屋のキレイな人はさらに幸せが倍増し、部屋が汚い人は不幸な出来事をさらに増幅させている**ということです。

これは「**類は友を呼ぶ**」という法則どおりです。

あなたの心の反映であるあなたの部屋に、一定の「磁場」ができ上がり、あなたが発しているエネルギーと同質のものを引き寄せるのです。

磁場という言葉はあまり聞きなれないでしょうか？

じつは、人の心や、人々が集まるその場所からは「想念」というエネルギーが発せられています。

それは電磁気や電波の法則と同じで、そのエネルギーの周波数と同じものが引き寄せられてきます。

つまり、あなたの心が豊かさにあふれて良い状態であれば、あなたの周りに良い磁場をつくり上げ、さらに良いものや豊かさを呼び込みます。

そして、あなたの心をさらに満たします。

あなたの心の状態が、怒り、妬み、愚痴、貪欲、怠惰、猜疑《さいぎ》心、自己中心で満たされていたならば、あなたの周りにそのような最悪な磁場をつくり上げます。

そして残念なことに、さらに悪いものを引き寄せ、心の状態もさらに最悪になります。

逆も同じです。家の中が汚くなると、実際その中で生活している人の心にも影響を与えるのです。

ある心理学者の研究によると、散らかった部屋、そうじの行き届いていないオフィスなどで生活を続けると、生理学的な面でも、心拍数や血圧の増加、動悸《どうき》、首や肩の痛みが出たり、理由もなくイライラしたり、すぐに怒ったりするというのです。

あなたの心の状態と、あなたの部屋は、相互に影響し合って磁場をつくり上げるのです。

そう、キレイな部屋ではどんどん幸せがやってきます。

汚い部屋ではつぎからつぎへと不幸がやってきてしまうのです。

倒産・離婚・精神的危機からの復活

ここで、私の体験をお話ししたいと思います。

悲しいことに、先ほどお話しした法則どおり、不幸になっていったという例です。

私は恥ずかしながら、以前、事業をはじめて失敗し、借金を抱えて、離婚、失望、無気力へのプロセスを歩んだ経験があります。

それは言い換えると、汚さへのプロセスでした。

事業がうまくいかなくなると焦り、その焦りは、すぐに部屋の汚さ、乱雑さにあらわれていきました。

いま考えてみると、その汚さがその後の不幸を招いた原因だったのです。

その汚さから、常に心はイライラ。

そこから焦りがさらに募り、事業は当然、失敗。

もちろん、結婚生活もギクシャクして、離婚する羽目に。


その後の引っ越しした先でも、私の心は、事業の失敗や、離婚によってひどく傷ついたまま、何も手につかずに、部屋はすぐにゴミ溜めのようになっていきました。

このように精神的にかなり参っていた私の容貌は、ひげは伸び放題、お風呂にも入らず、かなり身なりも危険な状態でした。


友人でもある看護師の先生がつぎのように言っていました。

精神疾患へのプロセスは、部屋をそうじしないところから始まり、つぎに身なりを清潔に保てなくなるのだそうです。

お風呂に入らなくなり、女性であれば化粧をしなくなり、「汚くなる努力をしているみたいだ」と言っておりました。

しかも、部屋をキレイにすると、ものすごく怒るのだそうです。

そして、回復に向かうときには、その逆のプロセスをたどるということです。

まず自分から進んでお風呂に入って、清潔さを取り戻していくのだそうです。

その話を聞いていて、「うーん、分かる」と思ってしまいました。

私の復活も、まったく同じプロセスをたどったからです（なんとか精神疾患にはなりはしませんでしたが）。

きっかけは、高校時代の友人の久しぶりの訪問でした。

彼が私の部屋に入るなり「何じゃ、この汚さは！」と吐き捨て、しかも、私の容貌を見て驚いて帰ってしまいました。

「何しに来たんだ、あいつは。失礼なやつだ！」と正直思いました。

しかしつぎの日、その友人が両手にいろいろな道具を持って、我が家に来たのです。

「お前も手伝え」と、おもむろにぞうきんをよこし、部屋のそうじをはじめたのです。

じつは、彼はプロのそうじ屋でした。

あっけにとられているうちに、そうじが終わりました。

友人はスッキリした顔で、「どうだ、気持ち良いだろ」と言いました。

そのときはじめて、私もスッキリして気持ち良いという爽快感を味わいました。

これがそうじに目覚めたきっかけです。

無職だった私は、これをきっかけにそうじ業界へと足を踏み入れました。

この衝撃的な体験で私がつかんだ教訓は、部屋の汚さを放置したために、事業の倒産や離婚、最終的には精神的危機と、不幸を呼び込んでしまったということです。

私の場合、友人のおかげで、ゴミなどの不要物を取り除くことができ、部屋の中がキレイになって、見事復活を遂げました。

いまではすばらしい女性と出会い結婚し、新しい事業を再び始めることができ、つぎつぎと幸せな出来事が舞い込んでくることを実感しています。

単にそうじをしたというだけです。

そうじによって、マイナスを引き込んでいた部屋の磁場、つまり、マイナスの方向に進んでしまった私の運命という電車に、ストップをかけることができたのです。

ブロークンウィンドウ理論

この法則を証明する、面白い実験のお話をしましょう。

1969年に行なわれた、スタンフォード大学の心理学者、フィリップ・ジンバルド教授による大変興味深い実験です。

まず、街の中で比較的治安の良い場所を選びます。

そこで1週間、「ボンネットを開けっ放しの状態で放置した」自動車と、ボンネットを開けっ放しの状態に「窓ガラスが割れている状態を加えた」自動車の、2つのパターンの様子を見ました。そこには、歴然とした差があらわれたというのです。

ボンネットを開けているだけの状態では、1週間、特に何も起こりませんでした。

しかし、その状態に窓ガラスの破損を加えただけで、なんと、10分後にはバッテリーが持ち去られ、続いてタイヤもすべて持ち去られました。

さらには落書きや投棄、破壊が行われて、1週間後には完全にスクラップ状態にまで破壊されたのです。


窓ガラスが割られている状態をプラスするだけで、それがなかった状態とくらべて、略奪を受けたり、破壊される可能性が非常に高くなるのです。

しかも、投棄や略奪、破壊活動は短期間のうちに、急激にエスカレートしていくということが分かったのです。


「壊された窓」という言葉から、この理論は「**ブロークンウィンドウ理論**」と名付けられました。

車の窓が割れている状態が、マイナスの磁場をつくり上げ、同質のものを引き寄せ、それはどんどん、エスカレートしていくという大変興味深い実験です。

落書き消しでNY市の犯罪率が75%も減少

ブロークンウィンドウ理論は後に、世界有数の犯罪都市アメリカ・NY市の治安対策に使われました。

いまから約20年前の1980年代、NY市では、なんと、年に60万件以上の重犯罪事件が起きていました。

当時、「旅行者はNYの地下鉄には絶対に乗るな」と言われたくらい、その治安はひどい状態でした。

アメリカのラトガース大学のケリング教授は、このブロークンウィンドウ理論に基づき、NYの地下鉄の凶悪犯罪の抑制に、落書きを徹底的に消すことを提案しました。落書きが放置されている状態は、窓ガラスの割れた自動車と同じ状態であると考えたからです。

そして、当時の交通局のデヴィット・ガン局長は、ケリング教授のアドバイスのもと、治安回復を目指して、地下鉄治安崩壊の象徴ともいうべきこの落書きを、徹底的にそうじするという方針を打ち出しました。

落書きを消すという驚くべき提案に対して、交通局の職員たちは、「まずは犯罪を取り締まるべきだ」と猛反発をしました。

確かにそう思いますよね。
落書きも問題だけれども、まずは小さな問題よりも大きな問題である凶悪な重犯罪事件を早くなんとかしなければと思うのは当然の反応です。

しかし、ガン局長は、落書き消しを徹底して行う方針を断行。

その後地下鉄の車両基地では、交通局の職員によって、約6000もの車両の、一面に書かれた落書きを消していくという、途方もない作業が行われました。

そして、プロジェクト開始から5年後の1989年、ようやくすべての落書き消しが終了しました。


するとどうでしょう！

それまで増加する一方だった地下鉄での凶悪犯罪の増加がゆるやかになったのです。

そして、なんと2年後には、重犯罪数が減少しはじめ、94年には約半分にまで減少。

結果的にNYの地下鉄の重犯罪事件は、なんと75%も激減したのです。

その後、1994年、NY市長に就任したルドルフ・ジュリアーニ市長は、地下鉄で成果を上げた犯罪抑制対策を、NY市警察に導入しました。

NYでは、落書きを消し、歩行者の信号無視や空き缶の投げ捨てなど、軽犯罪の取り締まりを徹底的に続けた結果、犯罪発生件数が急激に減少しました。

そして、犯罪都市の汚名を払拭することに成功したのです。

ジュリアーニ前ＮＹ市長

（写真：時事）

トイレそうじで学校崩壊からよみがえった

ここ日本でも、ブロークンウィンドウ理論を生かした例があります。

大阪府立のある公立の中学校は、すでに学校崩壊状態でした。

吉川晴美さん（仮名・56歳）は、二男がこの学校に入学したのを機にＰＴＡの役員に就きました。

吉川さんは就任直後から、あまりの校内の荒廃に驚きを隠せませんでした。

ＰＴＡとして、何とかしなければと思い、「校内を巡回させてほしい」と校長に直訴、自ら校内を見回る役をかってでました。

しかしながら、そこで目の当たりにした実態は想像以上でした。

授業中に生徒が校舎内で自転車を乗り回す。

壁にはペンキの落書き。

窓ガラスは割られ放題。

なんと、その修理費は総額100万円台にもなっていました。

授業中の教室では歩き回わったり、トランプ遊びをしたりは当たり前。ドライヤーを使って化粧をしはじめる女子生徒の姿も。

また、教卓の近く以外は、先生の声がほとんど聞こえない。

突然鳴り響くいたずらの非常ベルの音には、教師も生徒も慣れっこになっているという状態でした。

吉川さんは、「このままでは子どもたちの未来が危うい」と思いながらも、「改善策などあるのだろうか」と、毎日のように考えながら校内の見回りを続けていました。

すると、あることに気が付いたのです。

それは「校内が非常に汚い」ということでした。
生徒が買い食いした後のゴミがあちこちに散乱し、トイレの便器には生徒が吸ったタバコが山のように溜っていました。

このとき、ある決意をします。
それは、「自ら汚い学校をそうじしていこう」ということでした。
放課後に、あちこちに散らかったゴミを拾うことからはじめましたが、そのうち、朝早くから学校に来て、校舎のトイレそうじもやるようにしました。

はじめは吉川さんひとりで地道にやっていましたが、「それなら私にもやらせて」と同志がしだいに増えていき、PTA役員5~6人が参加するようになったといいます。

それはまさに、NY市の治安対策の学校版とでもいうべきものでした。

すると、しばらくたって変化が起きはじめます。

汚れがキレイになっていく校内と比例して、学校全体に落ち着きが見られるようになったのです。

そのうち、子どもたちも「おばちゃん何してんの?」と声をかけてくるようになりました。

最終的には、子どもたちもそうじに参加するようになり、荒れていた子も勉強に前向きになり、ついに、学校崩壊からよみがえったのでした。

「そうじ力」の2つのパワー

私の実体験、NY市の地下鉄、日本の中学校の例に、共通していることがあります。

何か分かりますか？

そう、**汚いものや汚れている状態をそのまま放置しておくと、そこにマイナスの磁場ができ上がり、悪い事態をどんどん引き寄せてしまうのです。**

そして、それらマイナス要因を取り除くこと、つまり、そうじをすることで、
私はその後の人生を変えることができ、
NYの地下鉄では凶悪犯罪を抑制し、
中学校では健全な学びの場をつくり上げることができたのです。

このように、そうじによって劇的に環境・人生を変化させる力のことを、私は「**そうじ力**」と名付けました。

これこそ、そうじがもたらす力なのです。

「たかがそうじ、されどそうじ、じつはそうじ」なのです。


そうじには明らかに力があります。

周りの状況を変え、問題を解決してくれるのです。

いまのあなたから、新しいあなたに生まれ変わり、望んでいる人生へと好転させることができる力が、このそうじ力なのです。


そして、私はこのそうじ力には、2種類あることを発見しました。

ひとつは積極的に汚れを取り除くことによって、マイナスのエネルギーを取り除き、問題を解決する「**マイナスを取り除くそうじ力**」。

そしてこの「マイナスを取り除くそうじ力」を土台として、さらに積極的に目的を持ったプラスエネルギーを加えることで、強力に善きものを引き寄せるのが**「プラスを引き寄せるそうじ力」**です。

「マイナスを取り除くそうじ力」は、あなたに、どんなどん底からも這い上がり、本来の能力を発揮させるパワーを与えます。

一方、「プラスを引き寄せるそうじ力」は、あなたに、どんな夢をもかなえる強運パワーを与えるのです。

このそうじ力の2つのパワーで、あなたの運命は劇的に好転していくことは間違いありません。

この2つのパワーの具体的な効果と、使い方は2章、3章でお話しさせていただきます。

まずは、この2種類のそうじ力を使った究極の完成形、あのディズニーランドの世界を築き上げるための秘密をご紹介いたしましょう。

ディズニーランドに魔法をかける2つのそうじ力

ディズニーランドには、「カストーディアル」という清掃スタッフがいます。
そのカストーディアル（通称・カスト）によって、夢の世界ディズニーランドの基礎がつくられています。

このカストには、2種類あります。
「デイカストーディアル」と「ナイトカストーディアル」です。

先日、私は家族ではじめて、ディズニーランドに行ってきたのですが、とても感動した出来事がありました。

私がディズニーランドへ行くのは数年ぶり、家族で行くのはなんとはじめてということもあり、舞浜の駅を降りると、5歳になる娘は大喜びで走って行きます。

「コラコラ落ち着きなさい」と言いながら、35歳になる私の心も恥ずかしながら、じつはウキウキ。

パーク内に入ると、さっそくミッキーとプーさんのバルーンを買って、いつの間にか私も娘と一緒に大はしゃぎ！

ふと、パーク内を見渡すと「やっぱりゴミひとつなくてキレイだなぁ」と感じました。

お目当てのパレードがはじまるということで、急いでファーストフードを買いに走り、ベンチの席を取って、ハンバーガーをほおばりながら、パレード開始をいまかいまかと待っていました。

開始5分前、事件が起きました。

ジュースを持ってはしゃいでいる娘がつまずき、パレードの陣取りのために地面に座っている大勢の人たちのすぐ手前に、なんと、ジュースを落としてしまったのです。落ちた衝撃で、プラスチックのふたは外れ、ジュースと氷が思い切りバシャーっと飛び散ってしまいました！

幸い、人にジュースがかかってしまうことはなかったのですが、そのジュースが座っている人のところに流れて行くのは時間の問題です。

私たち夫婦から笑顔が消えました。

「何とかしてぇ」と叫ぶ妻。

対応と判断を迫られる私は不覚にもオロオロ。

それを見て泣きはじめた娘。

もうパニックです！

そのときでした……。

「お洋服のほうは大丈夫でしたか？」

笑顔のカストの登場です。

キッチンペーパーのようなもので、パパッと水分を拭き取り、氷をバケツに回収。すぐに、モップを持った別のカストがあらわれ、あっという間に、何事もなかったかのように元通りにしてしまいました。

爽やかな笑顔で「新しいお飲みものをお持ちいたしましょうか？」と声もかけてくれ、その後、風のように立ち去りました。


その後、自分たちが迷惑をかけたこともすっかり忘れ、私たち家族は、また夢の国を思う存分楽しむことができました。

帰りも夫婦で、しばしカストの話で盛り上がり、さらに幸せな気持ちになりました。

この一件以来、私たちがディズニーランドのファンになってしまったことは言うまでもありません。


これが、「デイカストーディアル」です。

日中、くるくるパフォーマンスをしながら、ほうきとちり取りでゴミを取っている人を見たことはありませんか？

その人たちが、デイカストーディアルなのです。

これは、そうじ力で言えば、**「プラスを引き寄せるそうじ力」でキレイな空間を維持し、私たちの夢をかなえてくれているのです。**


さて、そのような楽しいディズニーランドですが、この夢と魔法の王国を支えているのが、じつは閉店後のそうじにあることをご存じでしょうか？

クローズ後、夜中の0時から朝7時までの間、昼間ゲスト（お客さん）がいる状態ではできない場所のそうじや、パーク内設備の徹底した管理と整備を行います。


この清掃スタッフが**「ナイトカストーディアル」**です。

ナイトカストーディアルの使命は**原状復帰**です。

1日、約4万人以上のゲストが来園するのですから、それなりに汚れるわけです。

ナイトカストーディアルはまず、パーク内の地面を水で洗い流します。

そして、トイレの便器、外灯の内部や洗面所の棚の中など、ゲストから見えない裏側や、影になっているところなど、昼間ではできないところを徹底してそうじをしていきます。

ナイトカストーディアルを実際にやっていた人から聞いたのですが、スペースマウンテンなどの、普段でも暗く周りが見えないアトラクションの中も、電気をつけて、隅の隅までそうじをするのだそうです。

彼らのそうじ目標は「赤ちゃんがハイハイしても大丈夫なくらいキレイにする」だそうです。まったく驚きです。

このようなナイトのそうじが土台となっているので、昼間はあのような夢と魔法の王国が実現し、トキメキをゲストに提供し続けられるのですね。

これが、そうじ力で言うところの、「マイナスを取り除くそうじ力」にあたります。

ディズニーランドはオープン当初はそうじが行き届いていない、ゴミパークでした。

しかし、ウォルト・ディズニーの強い理念の下、カストーディアルをつくり、徹底的に汚れやゴミを取り除いた上で、夢、希望、トキメキを提供し、1日4万人の人、笑顔、お金を強力に引き寄せるまでになったのです。

このディズニーランドの例で、2つのそうじ力の効果と、2つの力を合わせたときに起こる力をご理解いただけたと思います。

つぎの章からは、この2つのそうじ力についての具体的な効果と実践の仕方について解説いたしましょう!

2章

どん底からよみがえる驚異のパワー
「マイナスを取り除くそうじ力」

プラス思考だけでは失敗する理由

ポジティブシンキング、そのままの自分が一番、物事の良い面・光っている部分だけを見ていこう……。

このような積極思考、プラス思考がとても流行っています。

この本を手にされている方で、この方法だけで成功した方はいらっしゃいますか？

そしたら、こんな（？）そうじで夢をかなえる……なんて本を手に取ってないですよね？（笑）

確かに一時的には、元気になったり、行動的になったりするでしょう。

しかし、結局うまくいかないのが、現実ではないでしょうか？

このような思考を繰り返している人は、よく観察してみると、調子の良いときと悪いときとの差が大きく、積極思考と悲観思考の間を行ったり来たりしていることが多いようです。

彼らにとって、**積極思考やプラス思考は、一時の強壮剤、カンフル剤にしかなりません。**

ちょうど長年の不摂生や生活習慣の悪さから健康を害した人が、一時期通院や投薬によって調子が良くなることがあっても、すぐにまた元に戻ってしまい、病気がなかなか治らないのとよく似ています。

何を隠そう私自身がそうでした。

成功本・自己啓発本を数百冊も読破しました。

自分の夢を紙に書きました。

百万円の写真を持ち歩きました。

就寝前に「私は必ずできる」と唱えました。

しかし、なかなか成功することができませんでした。

もちろん、積極思考やプラス思考を否定するつもりはありません。

一時的であったにせよ、私も、それらから元気パワーをもらいました。

プラス思考はやり方によっては、とても効果的なのは確かです。

これだけで、成功できる人も1%くらいはいるかもしれません。

しかし、なぜ、ほとんどの人は積極思考やプラス思考だけでは成功しないのかということです。

なぜだと思いますか?

それは、**どんなに強力なプラス思考を、どれだけ打ちこんでも、心の奥底にそれを打ち消すマイナスエネルギーがあるからなのです。**

プラスの明るい面だけを見ながら進んでも、あなたの心の中のマイナスエネルギーが「そんなのうまくいくわけない」と、それを打ち消してしまうのです。

プラス思考を打ち消すマイナスエネルギー

車でのドライブに例えてみましょう。サイドブレーキを引いたまま、アクセルを踏んでもスピードは出ません。

そのような状態で高速道路を走ったとしたら、車はすぐに煙を出し壊れてしまうでしょう。

楽しんで、すいすいと高速道路を突っ走っていくために、サイドブレーキを解除しなければなりません。

そう、**あなた自身が潜在的に抱えているマイナスエネルギーを取り除く必要があるのです。**

それが、そうじをすることだと言ったら、あなたは驚かれるでしょうか?

成功を阻むマイナスエネルギーの取り除き方

あなたの心を反映したものが、あなたの部屋の状態なのです。

これは、1章でもお話ししましたね。

つまり、**カビ、ゴミ、汚れ、不要物、乱雑さは、あなたの心の中にあるマイナスエネルギーが部屋にあらわれている**のです。


汚い部屋の「マイナスの磁場空間」は、恐ろしいことに、一人歩きをして、さらにマイナスエネルギーを呼び込み増幅させていくのです。

これでは、いくらあなたが自己啓発本を読んで、プラスを取り入れようとしても、車に例えてみると、サイドブレーキがさらに強くかかってしまっている状態です。

そして、放っておくとあなたは成功とは無縁の人生を進むこととなるのです。

もう、お分かりですね？
潜在的に抱えているマイナスエネルギーを取り去るには、**部屋のそうじをすればいいのです！**

簡単ですよね？　簡単ですが、いままでの自己啓発本で成功しなかったあなた（私を含め）には、もっとも効果的な方法なんです。
心のあらわれである部屋の汚れを取り除くことによって、あなたの心の中のプラスエネルギーを打ち消してしまう、マイナスエネルギーも同時に取り除くことができるのです。

これが、「マイナスを取り除くそうじ力」なのです。
このそうじ力の具体的な方法は、「換気」「捨てる」「汚れ取り」「整理整頓」そして、フラットな磁場をつくる「炒《い》り塩」です。

充満するマイナスエネルギーを追い出す「換気」

ゴミや汚れから出ているマイナスエネルギーは、部屋いっぱいに充満し漂っているのです。

これが、マイナスな不幸の磁場をあなたの部屋につくります。

それを取り除くためには、「換気」が必要なのです。

1章でも少し触れましたが、私が悲惨な生活を送っていた時期は、まったく部屋の換気をしたことがありませんでした。

友人がやってきて、まず最初にしたことが換気でした。

窓からさわやかな風が入ってきたときに、心の中に何とも言えない復活のエネルギーが湧いたのをいまでもよくおぼえています。

これは、そうじ力の基本で、まず一番はじめにしてほしいことです。

毎日1回は努めて自然換気をしてください。

ワンルームマンションのように窓が少ない場合は、なかなか風が入ってこないということもあります。

そんなときは、窓を開けて、トイレやお風呂、玄関、またはレンジフードの換気扇を回してください。

それでも空気がよどんでしまう箇所などがありましたら、積極的に扇風機などを使って、部屋全体の空気を新しい空気と入れ替えてください。

最近では、空気清浄機やエアコンでも性能の良いものが売られていますが、自然換気に勝るものはありません。

よどんだ空気は、あなたの健康にも影響を与えかねません。

一昨年人間を恐怖の淵に陥れたＳＡＲＳも、自然換気による感染防止を呼びかけ、被害の拡大を抑えました。

換気をするということが一番のワクチンとなったのです。

運をよくするのも成功を手に入れるのも、まずは健康生活が基本ですよね。

ここで、ある団体職員の25歳の女性の実例をお話ししたいと思います。

彼女は、ワンルームマンションで暮らしはじめて2年の間、自然換気をしたことがなかったそうです。

エアコンが換気をしてくれていると思い込んでいたと言います。

最近の最新型のエアコンであれば自動洗浄装置が付いていますが、数年前のものは、カビの胞子生産工場みたいなものです（怖いですね）。

彼女は、いつも顔色が悪く、咳と鼻炎に悩まされ、とにかく年中体がダルいと訴えていました。

いつも具合が悪いせいか、遅刻の常連で仕事にも集中できず、プライベートも充実感がなかったそうです。

彼女の毎日は、友人との付き合いもせず、定時と同時にまっすぐ、この年中締め切っている部屋に帰り、いつもぐったりしているという状態でした。

そんな彼女に、とにかく、換気の大切さを伝えました。

窓を開けただけでは風通しが悪く、しょうがないので玄関の扉も全開にしたのだそうです。

すると、風が勢いよく通り、部屋に溜ったほこりが舞い上がりました。

締め切ったままのときは、このほこりにも気が付かなかったようです。

とにかく、朝晩と定期的に自然換気をするように努めてくれました。

換気をするようになってから、早朝の新鮮な空気を感じながら、コーヒーを入れ、清々しく遅刻もせず仕事場へ出勤しているそうです。

慢性鼻炎だと思っていたものも良くなり、しかも疲れにくい体になったそうです。すっかり健康を取り戻したようで、久しぶりに会ったときには、とても血色のいい顔を見せてくれました。

きっと、プライベートも充実しているのでしょう。

あなたも換気のパワーをぜひ手に入れてください。

はじめの第一歩です。

「捨てる」ことで生まれ変わる

ゴミやガラクタである、古いものや不必要なものは、**そのもの自体が、マイナスエネルギーを発します。**

ものを捨てることによって、マイナスの原因を取り除き、マイナスを引き込んでいる磁場にストップをかけましょう。

捨てることには、ゴミなど不用物を捨てることはもちろんですが、これに加えもっとも重要なのは、生活するために必要なもの以外すべて捨てるということです。

また、**捨てるという行為は、新しい自分になるために不必要な要素を捨てていく**ということです。

捨てなければ、新しいものは入ってきません。

新しい運命もやってきません。

これは法則ですのでよくよく覚えておいてください。


そうじ力における「捨てる」視点は3つあります。

現在・過去・未来の視点から、あなたの生まれ変わりを阻害するマイナスエネルギーを取り除きます。

①現在「毎日の生活の中であなたのエネルギーを奪うものを捨てる」

心に悪影響を与えるものをすべて捨てましょう。

例えば、ゴシップ満載の低俗な雑誌、極悪なホラーやアダルトビデオなど、知らないうちにどんどん溜まるものです。それが部屋の磁場を下げ、あなたのエネルギーを日々奪っていき、無気力さを生み出させているのです。

また、溜まるかもしれませんがこの機会に一度バッサリ、捨てましょう。

② 過去「過去の思い入れを捨てる」

特に捨てられないのが過去の栄光です。

ほこりのかぶったトロフィなどは何とも象徴的です。

これは過去のあなたが「トロフィ」で、現在のあなたが「ほこり」ということなのです。

また、前の彼女や彼の写真や手紙、プレゼントなども、つい取っておきたくなりますよね。

じつは、私もラブレターを集めた「ラブボックス」をつくって、保管していたことがあります（恥）。

これは過去、自分がどれだけモテていたのかを証明するために捨てられなかったものです。年々モテなくなるから、年々捨てられなくなります（笑）。

これらは、結局、過去に生きているということなのです。
スパッと思いっきり捨ててしまいましょう。

③ 未来「未来への期待と不安を捨てる」

3つ目は、未来への期待を捨てることです。
別の言い方をすると「いつか」は来ないです。
いつか、時間があるときにスクラップブックにする予定の新聞の切り抜き記事。
いつか、使うことになるかもしれない資料。
いつか、バザーに出そうと思っている、もらいものの食器セット。
これらはあなたの未来への期待と、未来への不安をあらわしているものたちです。
これらのものを溜め込んでいるうちは明るい未来には近づけません。
勇気を持って捨てましょう。

そうじ力の捨てる技術で、面白い体験談があります。

27歳の男性です。

彼はいつも「あー、彼女がほしい」と言っているので、そうじ力の捨てる技術を中心にアドバイスしてみました。

「彼女をつくるために何を捨てなければならないかを、よーく考えてみてください」とだけ付け加えました。


数日後、彼から電話がありました。

「ほんと、おもいっきり捨てましたよ。おかげでスッキリしました。本棚いっぱいの〝内なる彼女〟を全部捨てさりました。こんなに晴れ晴れした気持ちは子どものとき以来でしょうか。ついでに衣類や使わなくなったものも捨てたらゴミ袋7つ分になりました。ありがとうございます！」

それからしばらくたって、また彼から電話があり、「ついに本物の彼女ができました！」と喜びの報告を受けました。

彼はいったい何を捨てたのでしょうか？

男性であれば想像がつくことと思います（笑）。

内なる彼女を捨て、本物の彼女ができたのです。


捨てる行為は、例えて言えば、「**脱皮**」に似ているでしょうか。

脱皮と言えば、子どものころ飼っていた1匹のアメリカザリガニを思い出します。

ある朝水槽をのぞいてみると、元気がなかったアメリカザリガニが、2匹になっていて驚きました。


「やったー！　1匹増えてる！」と思ってよく見てみると、1匹は抜け殻でした。

その脱皮したアメリカザリガニは、その後、もりもりと餌を食べて元気になり、以前と比べると大きくなり、確実にパワーアップしていました。


脱皮の性質をもった生き物は、脱皮できないと死んでしまうそうです。

人は捨てられないからといって、死んでしまうことはないでしょう。

しかし、捨てることのできない人の人生はある意味、**生きながらにして死んでいるようなもの**かもしれません。


あなたは、生まれるときはどんな〝もの〟も持って来なかったはずです。

そしてまた、死ぬときもどんな〝もの〟も持っては行けないのです。

いらないものは勇気を持ってすべて捨ててしまいましょう。

過去のしがらみ、自分が生きてきた人生、積み上げてきた部屋の磁場を、いったんゼロに戻してみましょう。

あなたは生まれ変わるのです。

心を満たし、問題を解決する「汚れ取り」

食べこぼしのシミや、湿気の多いところのカビ、床に積もっている綿ぼこり、子どもが小さい家では、落書きなどもあるでしょう。

これらの、「汚れ」は、あなたの心が現在どんな状態であるかということがわかるのです。

例えば、部屋にほこりが溜まり、乱雑さが目立つようであれば、あなたの心の中に焦りがあるのでしょう。

お風呂がカビだらけ、湯垢だらけで汚いのであれば、あなたの心は疲れきっていて、癒しを求めているのでしょう。

また、家族をお持ちの方でしたら、家族全体の心が、部屋のあちらこちらにあらわれているのです。

私はさまざまな人から悩み相談を受けるのですが、アドバイスをした中で、もっとも効果があらわれやすいのは、そうじ力の「汚れ取り」です。

それでは、トイレを磨き込むことで、見事借金苦から脱出した男性の実例を紹介しましょう。

その男性は、三十歳で独身でしたが、消費者金融から500万円ほどの借金がありました。

もともと収入より多くお金を使う癖があったのですが、悪いことに、リストラにも遭ってしまいました。

毎月の利息を返すために、さらに別のところでお金を借り、それで利息がさらに増えるといった絵に描いたようなカード地獄に陥っていました。

しまいにはもう借りるところもなくなり、悪徳金融業者に足を運ぼうとしている、かなり追い詰められている状態でした。

はじめは私と話をしていてもうわの空で、とにかくお金を貸してほしい、さもなければ、すぐにお金になるような話はないかと詰め寄ってきました。

問題の渦中にあるときは、なかなか他人の話を聞けない状態になってしまうものです。

このような状態では、しょせん、お金を貸してその場をやり過ごせても、結局また同じような状態になり、さらに借金が膨れ上がるだけだと私は判断しました。

そこで彼に、「お金以上のものを貸してあげる」と、お金を貸す代わりに「ぞうきん」を貸してあげました（笑）。

彼は笑えなかったようでキョトンとした顔をしていました。

そして、「この状況から抜け出したいのであれば、とにかく1週間、トイレを徹底的に磨き込んでください」と、トイレそうじを勧めました。

私の経験上、**金銭問題を抱えている人にはトイレそうじが良い**ようです。

彼は、仕事もなく暇だったということもあって、「意味がわからない」とボヤキつつも、毎日トイレをぞうきんで磨いてくれました。


彼の場合は5日ほどたって変化があらわれました。

集中して磨いていると、子どもの頃、仕事で家に居なかった母親に対する「さびしい」という気持がよみがえってきたそうです。

押し殺していた「さびしかった」感情が噴き出して、彼はトイレを磨きながら嗚咽するほど泣いたといいます。

そして、それから数日後、トイレをいつものように磨き込んでいるとその空間すべてが光り輝いて見え、心の中が満たされた思いでいっぱいになったそうです。

そして、彼は「自分の状況にようやく気が付けた」と、私に報告してくれました。

その後、借金を債務整理し、定職にも就け、思ったよりも短期間で返済することができました。

借金癖も治り、少しずつですが貯蓄まではじめ、「これからは社会に豊かさを与える」と1年後に起業するために奮闘中であります。

彼のケースのように、場所を設定し範囲を小さくして汚れ取りをすることで、現在うまくいかない原因が心の奥底にあることに気が付きます。

これにより、問題の根本的解決ができるのです。

個性・実力を発揮させる「整理整頓」

「あれっ？　資料はどこだっけ？」

「ＣＤどこだっけ？　……あった！　でも、中身がな～い!!」

乱雑な部屋、整理整頓されていない部屋に住んでいると、このようなことがよく起きます。


その空間にいるだけで、迷い迷いの迷宮入り状態です。

自分自身が、何をやるべきかもわからなくなります。


文房具や書類がそれぞれいつも同じ場所に納まっている。

鍵や財布の置き場所、脱いだ服のかける場所、キッチンの食器棚、それぞれの収納する場所に、あるべきものがきちっと収まっている。

すべて置き場所がきっちりと決まっている状態は、磁場を整える働きをします。「あるべきものをあるべき場所にあらしめる」という言葉のとおりです。

そして、**周囲のものがあるべきところに納まっていると、自分自身の役割が明確になってきます。**

やるべきことがハッキリします。

要するに、心の中も整理整頓されていくことになります。

会社でミスを連発し、始末書を書かされ、いつリストラされてもおかしくない状況に追い込まれている37歳の男性から相談を受けたことがあります。

彼は「会社での自分の存在意義に疑問を感じる」というので、整理整頓のそうじ力を中心にアドバイスしました。

この方にはつぎのように、実践してもらいました。

まず会社に行ったら、朝一番で自分のデスクの整理整頓をします。

やり方は、はじめに一番上の文房具が入っている引き出しだけをそうじします。

ペンや、消しゴムなど、いつの間にか何個もごちゃごちゃと入っているわりには、毎回使うものと使わないものが出てくるものです。

そこで、いつも使っているものや、お気に入りのペンなどを絞り込んで、普段は使っていないものを思い切って捨てます。

残った文房具類は、布を使ってひとつずつキレイに拭き上げていくのです。

毎日ローテーションでひとつの引き出しだけをキレイに整理整頓して、そんな自分をほめていきます。

その日の仕事が始まる前に、1段目の引き出しを整理し、つぎの日には2段目、つぎは3段目とつぎつぎに整理をしていきます。

彼が言うには、どんどん整理されてキレイになっていくことに、喜びを見出すようになったとのことでした。

最終的には自分の机以外の場所にも取りかかり、書類の整理や、手が空いたときは社員用トイレのそうじもやりはじめました。

次第に自分のやるべきことが一つひとつ見えてきて、ミスもなくなり、自信を取り戻していったようです。

彼は、総務部に所属していたのですが、社内の経費削減の新しいアイディアも採用され、プロジェクトリーダーにも抜擢されました。

会社に貢献でき、周りに必要とされている実感を得ることができるようになったのです。

このように、会社での彼の心のあらわれである机の中を整理整頓することで、散漫がちだった彼の心も整理され、潜在意識の中にある、本来のリーダーとしての素質が開花したようですね。

総仕上げ「炒《い》り塩」によるフラットな磁場の完成

「換気」で、部屋のマイナスエネルギーでよどんだ空気を追い出しました。

ゴミ、ガラクタ、不要物を「捨て」ました。これで、過去との決別をして生まれ変わりました。

「汚れ取り」で、あなたの心の中のしこりをほぐし、癒しました。

「整理整頓」で、あるべきところにきっちりとしまうということによって、あなたの本来の役割と部屋の中のスッキリ感をつくりだしました。

それでは、最後の総仕上げとして、「炒《い》り塩」によるフラットな磁場を完成させましょう。

塩は古来より清めるために使われます。

これを、最後の総仕上げとして、**残りのマイナスエネルギーを塩に吸収してもらいます。**

やり方は、まずは粗塩を用意します。

それを5分ほどフライパンで炒り、水分を飛ばします。

さめたら、部屋中に撒き、後は掃除機で吸い込みます。

まったく仕上がりのスッキリ感が違うことに驚かれることでしょう。

ぜひ、試してみてください。

本来の自分を呼び覚ますパワー

マイナスを取り去り、あなたの幸運にストップをかけていたサイドブレーキを解除できましたか？

これでようやくあなた本来の人生の流れに乗り、スムーズにあなたの人生を走れるのです。

あなたの本来の力、個性を１００％出し切った「**最高のあなた**」が発揮できるのです。これはフラットな状態なのです。

運が良くなった、いいことが起こったと感じる方は多いはずですが、これが**あなたの本来持っている実力なのです。**

そして、この状態なくしては、プラス思考もプラスエネルギーも効果はありません（詳しくは3章の「プラスを引き寄せるそうじ力」でお話しします）。

ここで、どん底からよみがえり、本来の自分の力を発揮できた、私の知人の話を紹介したいと思います。

彼は私の知っている限りにおいて、誰よりもアイディアに富んでおりました。将来有望な芸術家であり、いつ会っても刺激的なアイディアを話して聞かせてくれます。会うたびに、私はその新鮮なアイディアに驚きます。

彼のアイディアは、世の中に出せば多くの人々を喜ばせ、また助けることにもなり、ビジネスとしても巨額の富を生み出すだろうと私は以前から思っていました。

しかし、その素晴らしいアイディアには、ある共通点がありました。

それは、どれひとつとして実現していないということです。

部屋の状況を聞くと、「人を入れられる状態ではない」と言います。

そこで、「マイナスを取り除くそうじ力」を強く勧めました。

マイナスのエネルギーを発している不要物を取り除くことに、集中してもらったのです。

彼は、ほとんど締め切り状態の窓を開け、寝る場所がようやくあるだけの床のゴミやガラクタをすべて捨て去りました（とにかく捨てるものも多く、トラックまで呼んでゴミを捨てたそうです）。

数年前の食品があふれ出して、何とも言えない臭気を放っている冷蔵庫の中もキレイに磨きました。

穴が開いたままの壁も自分で修復したそうです。

あれだけごちゃごちゃして汚かった部屋がすっかりキレイになり、美しい光が差し込んだのと同時に、彼の人生にも光が差し込んだのです。

彼は、自ら温めていたアイディアを企画書にしたものが認められ、絵本を出版することに成功しました。

彼はこう話してくれました。

「部屋のそうじをした後、いままで俺が失敗していた原因と、これからの俺の使命に気が付いたんだ。そしたら、こんがらがっていたアイディアの生かし方がありありと見えた。そして、気付いたら部屋で集中的に仕事をしていたんだよ……」

アイディアをあれこれと並べていた長い時間は嘘のようです。

そうじ力でマイナスのエネルギーを取り除いて、企画書をつくり、採用されるまでわずか1ヶ月もかかっておりません。

このようにこのそうじ力は、**問題を解決し、本来持っている力を、スムーズに発揮させてくれる**のです。

あなたがもし、何をやってもうまくいかない、才能はあるはずなのに成功しないと感じているとしたら、まず、その汚い部屋を「そうじ力」でキレイにしてください。

必ず、あなたの個性、実力が発揮されて最高のあなたになれるはずです。

どん底からも這い上がれる

いま、日本の年間の自殺者数は何名か知っていますか?
なんと年間3万4427人(2003年警察庁発表)です。
イラク戦争では、開戦から2005年3月までの戦死者数は2万2000人です。
阪神大震災で6433人です。
災害や、戦争以上に自殺者が出ている異常事態なのです。
1日平均すると94人の方が自ら命を落としていることになります。

その原因は、おそらく、病気、経済苦、家庭問題、人間関係、失恋、学業不振などでしょうか。

確かに、どれも深刻な問題です。

いまどん底にいる人は、人生に希望が見えなくなっています。

それは、本来の自分とはどのような自分だったのかということを、見失っている状態ではないでしょうか？

しかし、あなたは、どのような苦しみや悲しみ、どん底に思えるような状況からも、必ず這い上がることができます。必ずできるのです。

そうじ力には、どん底からもよみがえることができる驚異のパワーがあります。

いままでご紹介した実例でも、お分かりかと思います。

そして、何よりも私自身が実証済みでもあるわけです。

もし、あなたがいま苦しみの中にいるのであれば、まずはそうじをしてください。

もし、あなたの周りに、うつ病やプチうつ病の方がいたら、そうじを勧めてあげてください。そうじをする気力がないと言うのなら、あなたが、そうじをしてあげてください。
もし、あなたがそうじをする気力がないと言うのなら、わたしがあなたの部屋をそうじしに行きましょう。

すっきり、はっきり、くっきりした空間を毎日つくってください。
少しずつでもいいのです。
そうじ力を実践してください。
必ず、どん底から這い上がれます。
信じてください。
そうじには力があるのです。

コラム　ナイチンゲールのそうじ力

現代看護の基礎を築いたフローレンス・ナイチンゲールも「そうじ力」をつかっていたようです。

クリミア戦争中、彼女が配属されたスクタリ英国陸軍病院の、院内での兵士の死亡率は42%にもなっていました。

そこで、衛生委員会が入り清掃活動をしたところ、なんと半年で院内での兵士死亡率が2%にまで下がったのです。

これは、病院自体が換気をできなく、下水道の上に建っていたことが最大の原因でした。

ナイチンゲールはこの経験から、どんなに優秀な医師や看護師がいても、衛生管理がなされていないと、根本的な死亡率低下が実現しないことを痛感しました。

そして、彼女はその後の活動を環境整備に重点をおくようになりました。

1859年に発表した『病院覚え書』では排水設備、床、壁の素材、なかでも換気を最重要とした病院建築を呼びかけました。

このナイチンゲールが考案した病院建築の「パビリオン方式」は多くの病院に取り入れられました。

本国イギリスを襲ったコレラ患者の大量発生のときにも、コレラ感染拡大を防止するための衛生改革に、絶大な効果を発揮したと言われています。

また、病貧困者には、家屋の換気、ゴミの処理、水の濾過などのそうじの仕方を教えました。

住環境改善によって自宅で看護することは、伝染病対策になるだけではなく、人の寿命を延ばす方法であったわけです。

汚れを取り除き、環境を清潔にすることの重要さを生涯かけて広め、実際に多くの人の命を救ったナイチンゲールを私は心から尊敬しております。

私もナイチンゲールを目標とし、世界にそうじ力を広め、多くの人たちの運命を大逆転させてみようと思っております。

3章

夢をかなえる強運パワー「プラスを引き寄せるそうじ力」

あなたの夢は何ですか？

朝、目覚めると、あなたはいつもとは違う清々しさを感じます。

シャワーを浴び、窓を開けると、さわやかな青空と日の光があなたを包みます。

新鮮な風が部屋の中に入り込みます。

「なんて気持ちが良い朝なんだ！　このみなぎるパワーは生まれ変わったようだ」

これは、「マイナスを取り除くそうじ力」を実践し、新生したあなたなのです。

部屋を見渡すと、マイナスを引寄せていたゴミや汚れが、跡形もなく姿を消しています。

スッキリと整理整頓された部屋は、あなたのエネルギーを高めてくれます。

「なんだか満たされている、気持ちがいいなぁ」

そうです。換気をし、部屋のゴミを捨て、汚れを落としたことにより、本来のあなたを取り戻したのです。

さらに、この満ち溢れるエネルギーを使って**何かに貢献したいと感じ**ませんか？

そんな気持ちになったあなたには、つぎの扉が開かれます。

「プラスを引き寄せるそうじ力」です。

このそうじ力は、**周囲を幸せにします。**

そして、**あなた自身の夢をかなえ、強運をもたらすパワーがあるのです。**

2章で、潜在意識が抱えているマイナスエネルギーを取り払う、サイドブレーキの解除のしかたをお話ししましたね。

つぎは、すいすいと楽しくあなたの人生という道を運転するために、「どこへ行きたいか」の設定が必要です。そう、目的地の設定です。

さあ、そんなあなたに質問です。
あなたはこれから**どんな夢をかなえたいですか？**

お金持ちになりたいですか？
自分の能力を120％発揮できる仕事がしたいですか？
出世をしてリーダーになりたいですか？
起業し経営者となりたいですか？
商売をさらに繁盛させたいですか？
ベストセラー作家になりたいですか？
大スターになりたいですか？
幸せな家庭を築きたいですか？

どんな願い事でもOKです。
あなたが心の底から本気で願い、このプラスを強力に引き寄せるそうじ力を素直に実践するとき、あなたの夢は必ずかなえることができるのです。

すべての成功者が使っているゴールデンルール

「プラスを引き寄せるそうじ力」の説明の前に、まずは、あなたの夢をかなえるための、この世界の仕組みをお話しししたいと思います。

「ゴールデンルール（黄金律）」というものを知っていますか？

ゴールデンルールとは、「自分がしてほしいと思うことを人に与えよ」という法則（ルール）です。

これは、私たちの人生に幸運と成功を引き寄せるためには、絶対必要な法則なのです。

なぜなら、この法則だけが、宇宙に遍満《へんまん》する「**繁栄のエネルギー**」を流し込むことができるからです。

じつは、あなたの周りには、目には見えませんが、繁栄のエネルギーが至るところに充満しているのです。

この宇宙の繁栄のエネルギーを流し込むことができたなら、どんな望みも手に入り、人生をあなたの思うように動かせるのです。

そんな、とてつもないエネルギーなのです。

かつてのアメリカの自動車王、ヘンリー・フォードはこのように語っています。

「もし、私がいままで築き上げたすべての富を失ったとしても、5年もあれば取り返すことができるだろう。なぜなら、私は無限なる宇宙の繁栄のエネルギーとつながる方法を知っているからだ」

フォードのように方法さえ知っていれば、いつでもどこでも、どんなときでも、その繁栄のエネルギーを享受することができるのです。

世の中の成功者と呼ばれている人の多くは、この「与えれば与えられる」という法則を、意識的か、もしくは無意識的に使っているのです。

では、「自分がしてほしいことを人に与える」とは、具体的にどんなことでしょう？

個人レベルで考えてみましょう。

自分がやさしくしてほしいなら、人にやさしくしてあげる。

手伝ってほしいなら、人の手伝いをしてあげる。

話を聴いてほしいなら、人の話を聴いてあげる。

これをもっと広げていきましょう。

社会レベルで考えてみましょう。

それは、**「最高に輝く自分」を世の中に与える**のです。

「最高に輝く自分」とは、自分の強みであります。

もっと深く言うならば、あなた自身しか持っていない、あなたの個性からあふれ出る才能を世の中に与えることです。

自分の強みの発見は、「マイナスを取り除くそうじ力」を繰り返し、繰り返し実践しているうちに見えてきます。

あなたの中の満ちているものを世のために与えてください。

これは、ドラッカーであれば、「貢献」に値します。

コトラーで言えば、ソーシャル・マーケティングで言われているところの「社会性」であると私は考えます。

現実社会で生きている中で、私たちは、与えたら与えた分だけ減るように感じます。

実際にものを分け与えたら、その分だけ減ります。

そして、多くの人は減らないように減らないように自分自身を守って生きています。

だから、多くの人は満たされない人生を生きているのです。

しかし、私はあえてあなたに「与えよ」と言いたいです。

与えれば与えるほど与えられる。

これが成功していくための絶対条件であり、大宇宙の法則なのです。

「常に最高の自分を差し出し、多くの人に貢献するぞ」と生き、実践したときにこそ最高の成功の中に生きることができるのです。

成功に接続するプラグ「感謝」

さあ、あなたの夢の実現と、成功のために、ゴールデンルールにかなった「最高な自分」を与えていきましょう。

そのときに、お願いがあります。

自己犠牲的であってはいけません。

偽善でやってもつらいだけになってしまいます。

これでは、宇宙の繁栄のエネルギーとつながることができません。

しっかりつながるために「プラグ（コンセントに差し込むあのプラグです）」を繋

栄のエネルギーに差し込みましょう。

このプラグとは「感謝」なのです。

このプラグをしっかりと差し込んだ状態ではじめて、ゴールデンルールは自動的に発動しはじめるのです。

分かりづらいでしょうか？　イメージしてみてください。

あなたと宇宙の繁栄のエネルギーとをつなぐ「コード」が、ゴールデンルールである、「自分がしてほしいことを人に与える」にあたります。

その「プラグ」が感謝なのです。

このプラグがゴールデンルールというコードにしっかりと付き、宇宙の繁栄のエネルギーに差し込まれていないと、いくらゴールデンルールを使ったとしても、そこに流れる繁栄のエネルギーの量は、あなたの持っている器ほども流れてこないのです。

「感謝」がなければ、「与える」ことも、「やってあげる」ということにしかなりません。

周りの人がいるから、世の中があるから自分がいる。

それに感謝をして、最高の自分を与えていってほしいのです。

感謝から出発することで、あなたを成功へと導くゴールデンルールが発動されるのです。

夢をかなえる宇宙の繁栄のエネルギーに接続する方法

自動的にあなたを成功へと導く「感謝の磁場」

「成功の秘訣は分かったけど、じゃあ、そうじは必要ないじゃん」

こんなふうに思ってしまいましたか？

早まらないでください！

まだ、本を閉じるのには早すぎますよ。


夢をかなえるためのこの世界の仕組みは、ご理解いただけましたよね？

宇宙の繁栄のエネルギーに、「感謝」というプラグをしっかり差し込み、ゴールデンルールに基づいて最高の自分を人に与えることでしたよね。

これを、もっとも効率よく、もっとも効果的に、そして簡単に、あなたが使える方法があるのです！

もう、お分かりかと思います。

おまたせしました（笑）。

これが、「プラスを引き寄せるそうじ力」なのです。


部屋に悪い磁場ができれば、同質の悪いものを引き寄せます。

良い磁場であれば、良いものを引き寄せます。

「類は友を呼ぶ」という法則を1章でお話ししましたね？


そこで、「マイナスを取り除くそうじ力」で、フラットな状態に戻したあなたの部屋に、**「感謝」という磁場**をつくり上げるのです。

そうすれば、常に宇宙の繁栄のエネルギーに感謝のプラグが差し込まれた状態をつくり上げることは可能なのです！

その状態で、あなたの意識は自動的に、最高の自分を与える貢献のエネルギーへと変換されます。

そして、自動的に宇宙の繁栄のエネルギーを流し込むゴールデンルールが発動され、あなたが思い描いた夢を、グイグイと現実へと引き寄せることができるのです。


このそうじ力には、用意するものが2つあります。

ひとつは、感謝をあらわす**「ありがとう」という言葉**。

もうひとつは、そうじで必ず使うもの**「ぞうきん」**を用意してください。

これだけです。いたってシンプルですね。


「ありがとう」の言葉には、重要な意味があります。

「ありがとう」とは、「有り難し」が語源で、「ありえないことが起こった！」という奇跡の実感が元になっています。


本来、「仏」や「神」である自分を超えた存在に対して、「今日も私に生命をお与えくださって本当にありがとうございます」という、日々の感謝をあらわす言葉なのです。

それと同時に、他の人に対しては「あなたが存在してくれて本当にうれしいです」という、その人を認め、尊敬する言葉にもなるのです。

この「生かされている」ということを「感謝」として表現した言葉。
それが「有り難きことでございます」＝「ありがとうございます」なのです。
宇宙の繁栄のエネルギーと接続するのにはぴったりの呪文ですね。

この、「ありがとう」という言葉を用いてつくる感謝の磁場を「ありがとう空間」と名付けました。

それでは、あなたの部屋に夢をかなえ成功へと導く、ありがとう空間をつくっていきましょう。

呼吸法で心と磁場を整える

「ありがとう空間」をつくる準備段階として、最初に心と磁場を整えます。

分かりやすいように、今回はテーブルを例にします。

もちろん、「マイナスを取り除くそうじ力」でテーブル自体がキレイになっていることが前提です。


この場で少し、深呼吸をしてみましょう。

本を置き、軽く目を閉じて……。


まず口からゆっくりと息を吐きます。

心を整える呼吸法

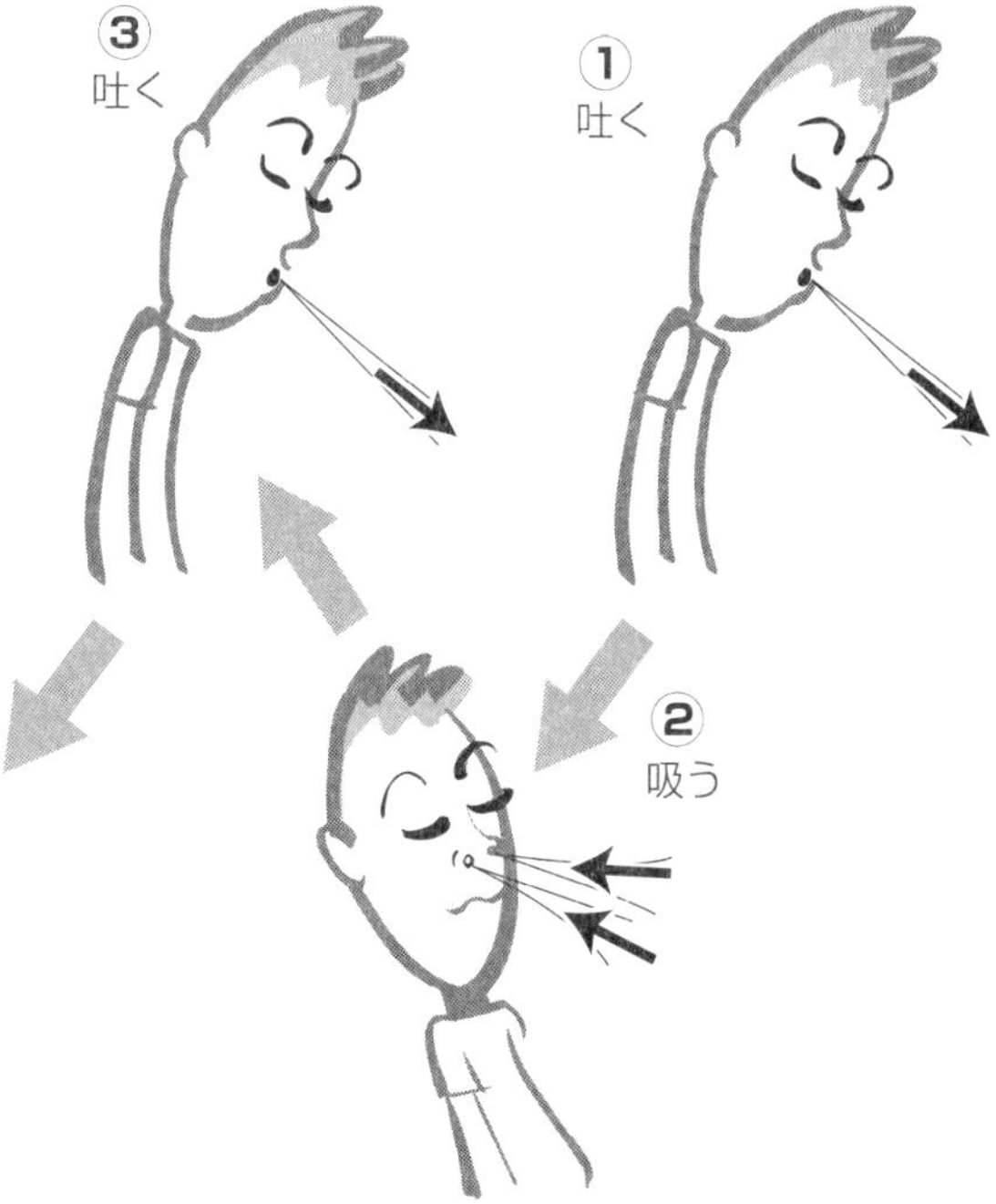

最初は、必ず息を吐くところからはじめてください。

蜘蛛の糸を吐くように、細く長く吐いてください。

腹の底から息を吐ききったら、鼻からゆっくりと息を吸い込みます。

3回に分けて深くお腹を膨らませるようにします。

いわゆる「腹式呼吸」です。


その際に、数を数えましょう。

息を吐ききって1、吸いこんで2、吐いて3という具合に、ゆっくりと深く呼吸を行ってください。

だいたいはじめは10くらいまで、慣れてきたら少し増やして20くらいまで数えてみてください。


どうでしょうか?

心がスッキリし、穏やかな気持ちになっていく感覚を味わえたでしょうか。

深い呼吸を確認できたら、だんだんと普通の呼吸にもどしていってください。

このエネルギーでそうじをします。

つぎに、ぞうきんを持ってテーブルを規則正しくゆっくりと拭き上げていきます。急ぐ必要はありません。

あくまでもゆっくり、ゆったりです。

はじめにタテに拭きます。

目的は磁場を整えることですから、ゆっくり、ゆったり一筆書きで拭いてください。

手前から上に拭き上げ、ぞうきんを半分ヨコにずらして、今度はそこから下に拭きます。

このとき、先ほど拭いた列と重ねるようにして、拭いた箇所に隙間があかないようにしてくださいね。これを繰り返します。

タテが拭き終わる地点から、続けてヨコに拭いていってください。

これも一筆書きで、ずらしながら、前に拭いた箇所に重なるように拭き上げます。

そして、最後にヨコが拭き終わった地点から、テーブルの周りを拭いて完成です。この基本の拭き上げ方をマスターしておくと、テーブル以外の家具などを拭くときにも応用できます。

気付かれた方もいらっしゃると思いますが、この方法を行うと、いつの間にか気持ちが落ち着いてきて、体が背中のほうからポカポカと温かくなってきます。

これは、呼吸法によって、体中に新鮮な酸素が循環し、鬱血した血液をさらさら流し、体の隅々まで血液が流れ込むからです。

その上で、ゆっくり体を動かしながら、磁場を整えていくので、心もゆったりと落ち着いてくるというわけです。ヨガに似ているでしょうか。

まずは、この方法で心が穏やかになるのを実感するところからはじめてみてください。いたって簡単な方法です。

忙しくて心がざわめくとき、体が重いとき、イライラするときなどにも行うと効果があります。ちなみに、このそうじ力で肩こりがよくなったという女性もいます。

磁場を整える拭き方

①
タテに拭く

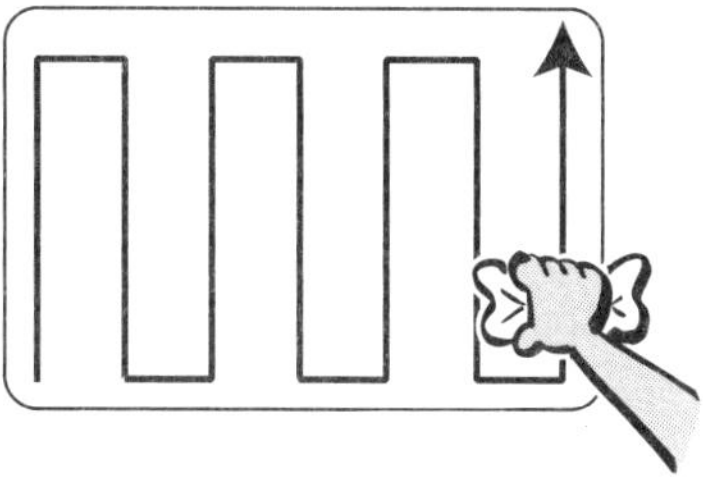

②
ヨコに拭く

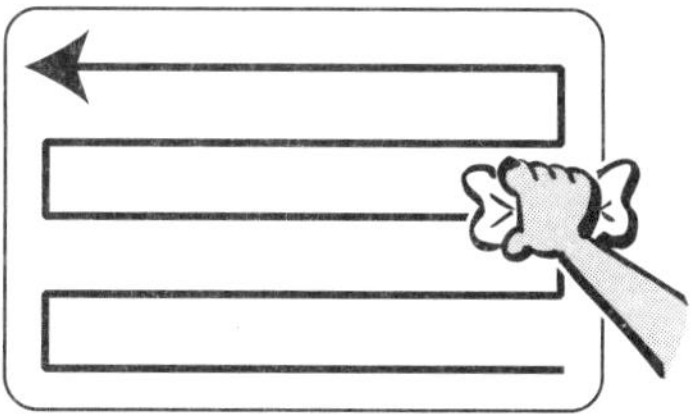

③
まわりを拭く

実践！「ありがとう空間」の創造

さあ、それでは、「ありがとう空間」のつくり方です。

こんなに簡単に教えてしまっていいのかと思ってしまいますが、ここはゴールデンルールに従って、思いっきり教えてしまいましょう！

呼吸法で心と磁場を整えたら、ここに、「ありがとう」という言葉とぞうきんを使い、感謝の磁場をつくります。

はじめる前に感謝のターゲットを決めましょう。対象者がいたほうが早くありがとう空間をつくり上げることができると思います。

まず、練習ですので身近な人がいいですね。

ふと心に浮かんでくる大切な人、ご主人や奥さん、子ども、ご両親。

あるいは彼女や彼氏。

あるいは会社の上司や部下。

あなたを取り巻く人たちの中で、良い関係になりたい人、幸せにしたい人を選んでください。


そして、その人のことを思い浮かべ、「ありがとうございます」と言いながら拭き上げます。もちろん、声を出さなくても結構です。

バリエーションも、それぞれの感じで変えてみてください。

例えば、「ありがたいなぁ」でもいいですし、「いつも、ほんとありがとうね」でもけっこうです。


拭き上げ方は先ほどと同じように、タテタテ・ヨコヨコとゆっくり拭き上げます。

同時に、相手に意識を集中して語りかけていきます。

例えば、奥さんには「いつも陰で支えてくれて、本当にありがとう」。

子どもには「おまえはお父さんの誇りだよ。おまえがいてくれるだけで私はうれしいよ。ありがとう」。

上司に対して「いつも、指導をいただきありがとうございます」。

部下には「君らがいてくれるお陰で本当にいつも助かっているよ。お陰で私も上司をやっていられる。ほんとうにありがとう」。

このように、それぞれの対象者に気持ちを込めていきます。


最初の段階では、気持ちが込められない場合、機械的に「ありがとう」と言いながら拭き上げていってもかまいません。

そのうち、実感してくるはずだからです。


しかし、このように考えてみてください。

もしも、その人がいなかったらどうか？

もしも、妻や夫がいなかったら？

子どもたちがいなかったら？

ご両親がいなかったら？

仕事が終わって家に帰ると家族がいなかったら？

毎月給料をもらっている会社がなかったら？

社長がいなかったら？

上司がいなかったら？

部下がいなかったら？


あなたには愛すべき人が与えられているのです。

「いつもいてくれてありがとう」

このような気持ちで、拭きそうじの動作と心を込めることを繰り返していくうちに、ぽっと胸が温かくなる瞬間を体験することでしょう。


マイナスのエネルギーが取り除かれているので、比較的短時間で胸が温かくなる体験はできることと思います。

そして、続けていくと確実にありがとう空間ができ上がっていきます。

じつは私は実験で、自宅のダイニングテーブルで、対象者を妻として2週間ほどありがとう空間づくりをしてみたことがあります。もちろん妻には内緒です。はじめは、突然朝昼晩と夫がテーブル拭きをはじめるわけですから、妻も奇妙がっておりました。

しかし、淡々と続けていき、次第に感情が込められるようになり、しまいには妻への感謝に涙ぐみながら「ありがとう」と心の中で繰り返し続けておりました。

そして開始2週間目、出張で家を空けたときに効果があらわれたのです。
妻から旅先に電話がありました。
なぜか、様子がおかしいのです。
電話の向こうで妻が泣いているのです。

「どうしたの？　何があったの？」

「いま、夕食が終わって、テーブルを拭いていたら胸がいっぱいになっちゃって……パパ、いつも本当にありがとう」

突然言われ、私も胸がいっぱいになってしまいました。

2週間目にして妻に影響が出ました。

我家に「ありがとう空間」が創造された瞬間でした。

それからというもの、私はテーブル拭きをしながら、感謝がとても深まるようになりました。

友人たち、社員たち、お客さん、マンションの管理人さんやスーパーのレジのお姉さんに対しても、感謝の気持ちでいっぱいになりました。

それどころか、生け花に対してまでも、「ありがたいなぁ」と感謝が込み上げてくるのです。

そして、すべての幸せを私に与えてくれている、宇宙の繁栄のエネルギーに対しても、感謝を深めることができるようになってきたのです。

それからは、感謝してもしきれないほど、夢に向かって良い方向に進んでいっているのを実感しています。

新たな起業、セミナーの開催、予想以上の経済的発展。

そして、この本の出版……。

ぜひ、あなたにも実践していただき、この効果を実感していただきたいと思います。

願望実現例①
長年の趣味をいかして収入アップ

ここで、仕事も家庭もそれなりに順調な34歳の会社員の方が、夢をかなえた例をお話ししましょう。

彼は三度の飯より釣りが好きで、夢はこれからも毎日思う存分、釣り（ルアーフィシング）ができるくらいの経済的なゆとりがほしいということでした。

そこで彼は、自分の部屋、会社、そして、いつもよく釣りをする周辺のそうじをしました。

釣りをする場所周辺は屋外ですので、ほうきで掃きながら感謝の言葉を唱えました。

「自分は平凡な会社員ではあるけど、長年釣りをさせてくださいまして、ありがとうございます」と神様と魚に感謝をしたそうです。

2週間も続けていると、突然、「なんて自分は恵まれているのだろう」と涙が止まらなくなったそうです。そして、なにか恩返しができないものかと考えるようになりました。


彼の仕事は、エンジニアでしたので、工場に収める大型機械のメンテナンスなどを行っていました。

しかし、小規模の会社のせいか、たいしてパソコンのことは詳しくないのに、なぜか会社の新しいホームページづくりを任されました。

なんとか、業者の人やパソコンに詳しい部下の教えのもとにホームページが完成したところ、ひらめいたのです。**自分の強みをいかす方法**です。

それは、仲間内でも好評だった、ハンドメイド・ルアーをインターネット上で販売しようということを思いついたのです。

幸運にも、会社でホームページづくりのコツを学べたのが大きかったようです。

ネットショップ成功のためにはそれなりの創意工夫と努力があったと思いますが、これが大当たりしたのです。

しかも、会社でもらう給料の約2倍の60万円以上を副収入で稼ぐようになったというのです。

予想外の収入という夢もかなない、そして何より多くのルアーファンに喜ばれているのがうれしいと報告してくれました。

長年の趣味がその分野で貢献に転じた良い例ですね。

願望実現例②
売り上げ20％アップの人気サロン

つぎの実例は、お客様を対象に「ありがとう空間」を導入し、売り上げをアップさせたサロンの例です。

都内の一等地に何店舗もアロマセラピーサロンを展開している会社です。

ここは、もともと女性社長の理念が素晴らしく、従業員も本当にしっかりと教育を受けているお店でした。

もちろん、技術も一流。サービスも充実していて、とても人気の高いサロンとして業績を上げています。

あるご縁で、そのサロンを統括しているマネージャーさんとお話しをする機会がありました。

そのときに、そうじ力の理念と効果をお話しさせていただいたところ、「それは、非常に面白い！」と感銘を受けてくださいました。

さっそくその方は、それぞれのサロンでの社員研修のときに、

「私の知り合いで、〝ありがとう〟という気持ちを込めながらそうじをして、その場所に『感謝の磁場』をつくり出す人がいる。あなたたちも、お客様にただ技術的な施術をおこなうだけでなく、本当に心から〝ありがとうございます〟と想いを込めて、サロンに来るお客様に極上の時間を提供してください」

と、指導をおこなったそうです。

それを聞いていたセラピストの皆さんが、言われたとおり自分たちの店舗で実践しはじめてくれました。

開店前の朝のありがとう空間の創造です。

自分の指先から「癒しのエネルギー」が出て、お客様が癒され喜んでいるところを想像します。

そして、心の中で「ありがとうございます」と唱えながら、お客様の出入りする、入り口の扉、レジカウンター、お客様が座るソファー、アロマセラピーの施法を行うベッドや器具を拭き上げました。

はじめた直後から、お客様からの反響が非常に良くなり、その月の売り上げが、なんと20％も伸びたそうです。

さらにリピータ率、口コミでの友人紹介率が飛躍的に伸びました。

そのマネージャーの方も、「自分でもちょっと信じられない、〝そうじ〟ひとつで、こんなにも変わるものなのでしょうか？」

と、その後、私のところに連絡をくれました。

私は、**「それが『そうじ力』の威力なのですよ」**とお答えしました。

お客様を対象にして「プラスを引き寄せるそうじ力」を導入すると、**顧客マインドが**自然とわかるようにもなります。

それが、お客様を強力に引き寄せることになるのです。

願望実現例③
会社のマネジメントに成功

最後に、社員のマネジメントに成功した会社の事例を紹介します。

この方は技術者上がりの若い社長さんです。

小さな会社を4年前に立ち上げ、社員はアルバイトを含めて10名ほどの会社を経営しています。


彼の悩みを聞かせてもらいました。

「仕事を社員に任せられないので、いつも私が忙しい思いをしているんです。だから会社を発展させるためには、いまの社員では少し心配なんですよ。多少人件費を捻出しても、優秀な人材を採用したほうがいいでしょうか?」

私は、彼の会社のオフィスと作業場を見て回り、いくつか気になるポイントをチェックさせてもらいました。

そして、そこを「マイナスを取り除くそうじ力」で、徹底的にキレイにするようにアドバイスをしました。

この後にその空間に、「プラス引き寄せるそうじ力」である「ありがとう空間」づくりをするよう勧めました。

彼は、さっそくつぎの日から、そうじ力を実践してくれました。

その社長さんは、まず社員が毎日使うトイレそうじをしようとトイレを見たときに、普段なら気付かない汚れまで見えてきて、とても不快感をおぼえたと言います。

磁場の意味を私から聞いていてよく知っていただけに、この汚れが、会社の現状をあらわし、社長である自分の心の投影であるということを、彼ははじめて認識しました。

まずは、「マイナスを取り除くそうじ力」からの実践です。

毎朝、社員が来るずっと前に出社して、トイレそうじをはじめました。

数日かけてトイレの隅々までそうじをして、スッキリ、ハッキリ、クッキリした空間をつくり上げました。


そこからようやく、「プラスを強力に引き寄せるそうじ力」の実践です。

まずはひたすら「ありがとう」と唱えながら、トイレの鏡、手洗い場、便器、床など、まずは毎日毎日、順番にキレイにします。

つぎに、ゆっくりと「感謝の磁場」ができ上がるように、拭き上げていきます。

また、社員ひとりずつ、感謝をしていきました。


1週間を過ぎたころからでしょうか。

社長の出社が早いせいか、いつの間にか社員たちも徐々に出社時間が早くなりました。

そして、社内全体が自然と引き締まり、いつの間にか、社全体でそうじをするようになったのだそうです。

ある朝、いつものようにトイレをそうじしていると、ふと、つぎのような気持ちが浮かんだそうです。

「そう言えば最初はひとりでそうじをしていたけれど、いまではみんながそうじをしている。不思議だ。いままで気付けなかったけれど、会社のために一生懸命に彼らは努力をし、会社に貢献してくれていたんだ。それを私は認めてあげなければならなかったんだ」

その日に、社員一人ひとりに「いつも、ありがとう」と声をかけてみました。

すると、社員の顔と、その後の仕事振りに変化があらわれたというのです。

彼は、いままで感じたことのない社員たちとの一体感を感じました。

そのとき、「これこそが、サービスマインドだ」という考えがひらめいたそうです。

そこで、社員たちに、「わが社は技術を売りにしてきたけれど、これからは技術＋

サービスを売りにしていこうと思う」と伝え、年間目標を決めました。

その後、社員の一人ひとりの強みを生かした仕事のあり方を提示したところ、全体の士気が上がり、なんと4ヶ月で、先に立てた年間目標を達成してしまったというのです。

「外から優秀な人材を採用しなくてはと思っていたけれども、じつは身近に、こんなにも素晴らしい人材がいたということに気付くことができました。結局、私が社員たちの能力を信じず、強みを引き出すことができないだけだったのですね……」

彼は、経営者として深く反省したのだそうです。

この方のように、トイレそうじに特化してもいいのです。

あらゆるそうじに適用できますが、「ありがとう」と唱えながらそうじをするのを忘れないでください。

自分も周りも幸せにするパワー

「ありがとう」と唱えながらそうじをすると、そこには感謝の磁場ができ上がります。宇宙の繁栄のエネルギーにつながる「ありがとう空間」ができるのです。

これがプラスを引き寄せ、あなたの夢をかなえる強運のパワーを運んできてくれるのです。

そして、このそうじ力は、夢の実現や会社の発展など、自分が成功するためには、**必ず他者とのかかわりが必要**であるということを教えてくれます。

いままであげた実例を思い出していただけると、お分かりになると思います。

あらゆる人間を治め、発展していくために大切なマインドが、「感謝」なのです。
宇宙の繁栄のエネルギーとつながるためには、「世界は自分のために」というマインドから、「自分は世界のために」というマインドにシフトすることが一番の方法なのです。

あなたが幸せになるには、周りを幸せにしてください。
これは同時に、**周りが幸せになれば、あなたも幸せになるということです。**

さあ、まずは、明確なビジョンを持ってください。
そして、ぞうきんを持って「ありがとう」と唱えながらそうじを実践してください。

もう、運命に翻弄《ほんろう》されるあなたではありません。
運命を自由に変えられます。
未来も思うとおりになるでしょう。
そう、**運命とは、あなた自身でつくり上げていけるものなのです。**

コラム　カリスマ経営コンサルタント一倉氏のそうじ力

私の尊敬する経営コンサルタントの故・一倉定氏ほど、環境整備、つまりそうじの指導を企業に徹底的に行った人はいないと思います。

一倉氏はこのようにはおっしゃっています。

「環境整備とは、規律・清潔・整頓・安全・衛生の五つを行うことである。

多くの人びとは、環境整備について、知っているようで、その実よく知らない。大切なことだから、やらなければいけないと思いながら、なかなか積極的に実施しようとはしない。環境整備をテーマにした論文やセミナーなど皆無に近い。

環境整備に対する認識も関心もうすいのである。私にいわせたら、これほど奇妙な現象はない。

十カラットのダイヤモンドがゴロゴロところがっている宝の山に入り、誰でも自由にこれを拾っていいのに、これを拾い上げようとしないようなものである。だから奇妙なことだというのである。

これが環境整備に関する多くの人々の認識なのである。盲点中の盲点ということができよう（以下略）」（『一倉定の社長学』一倉定著・日本経営合理化協会出版局）

さらに、環境整備こそ、すべての人々の活動の原点であり、環境整備の無いところ、会社の成功も、ましてや国家の繁栄さえありえないと言い切っています。

一倉氏の言葉を借りれば、

「十カラットのダイヤモンドがゴロゴロと転がっている宝の山」の価値を、

その宝の山の場所を、

またその拾い方を、

「そうじ力」を通して私は伝えていきたいと思っています。

4章

21日目、あなたは成功者体質になる！

強烈な三日坊主のすすめ

こんな質問をよく受けます。

「そうじ力を身に付けたいと思うのですが、私は三日坊主なことが多いため、すぐにあれこれ言い訳をつくってやめてしまいそうな気がします。どうすればいいのでしょうか?」

こんな方に、私は必ず言う言葉があります。

「三日坊主でいいじゃない」

人間は、集中して物事をやるときには、せいぜい3日しかもたないと思うのです。だから私は、あえて三日坊主を強烈に勧めたいと思います。

これを私は、**「三日坊主法」**と呼んでいます。

そうじ力を始める方は「運命を好転させるぞ」という強い目的意識を持っていますので、開始すると、実際に運命が好転しはじめます。

ですから、意外と長く続けられるのですが、はじめる前には、やはりいろいろとネガティブに考えてしまいがちなのです。

いつも「三日坊主→中途半端な自分→中途半端な人生→結論＝何をやってもだめな自分」なので、きっと今回もそうなるのではと不安にかられるのです。

安心してください。そうじ力に関しては、3日間続けられるのなら大丈夫です。

最初のそうじ力である「マイナスを取り除くそうじ力」で、ほこり、湿気、ゴミ、不要物、汚れ、カビなど、マイナスのエネルギーを発しているものを取り除くのは、じつはかなりの集中力と忍耐力を要します。

だからこそ、3日間でも、実践した後には、過去の自分と決別し、新生することができるのです。

私は、三日坊主法として「とにかく、3日間集中してそうじをしてください」と言っています。

まず、3日は続けると強く決意すること、3日続いたら、そこで自分をほめてあげれば良いのです。

そして、また3日間やりはじめるのです。

3日やり続け自分をほめる。

そして、また3日やり続ける。

このように三日坊主を連続することで流れをつくり、続けていくのです。

もちろん、途中でやめてしまっても、それは休みの日なので気にすることはないのです。

「よし、よく休んだ。また今日から三日坊主はじめよう！」

この感覚をつかみはじめると、意外と何事も続けられるのです。

そうじ力三日坊主↓ほめられる↓うれしい↓また三日坊主↓自信がつく↓2日休む↓よし三日坊主↓またまた三日坊主……その結果、運命が好転！　です。

この三日坊主法はそうじに関してだけではなく、あらゆることにも応用できます。例えば、私は、この本の原稿を朝4時に起きて書いたのですが、友人たちが聞くと、「それだけはありえない！」と断言することでしょう。そう、完全なる夜型人間だからです。

しかし、ほんとうに朝4時に起きていたのです！

ここには、三日坊主法を取り入れています。

「わが人生の中で3日だけ4時に起きる」と強く決意をして実行に移したのです。

3日目には「苛酷な4時起きを見事達成した。われながら尊敬する」とほめてあげます。

実際、仕事達成量も通常の2倍から3倍できているので、ちょっと自信も付いてうれしいから、1日休んでから、また3日続けちゃおうかなと調子に乗れます。

三日坊主法、うん、これはなかなか使えますよ！

21日目、強力なパワーが生まれる！

あなたは喜びの中にいることでしょう。

三日坊主法で3日間続けて成功感覚を得ました。

また、そうじ力の威力を垣間見ることもできています。

そんなあなたに、つぎにチャレンジしていただきたいのが、**三日坊主を7回続けることです**。

7回続けると、3×7＝21で、「21日間」そうじ力を実践したことになります。

これが、**「21日パワー法」**です。

なぜ、21なのかと言いますと、この数字は、とてもパワーがあることとして知られ、昔からいろいろな説明付けなどがされています。

数術的に言うと、7という勝利・完全の数字に、最小単位で物事が完成する数3を掛け合わせた数です。

カバラ数秘術的に言えば、勝利数の7×3で、3倍強運な数字とされています。

また、よく仏や神に祈祷するときに10回という一区切りを2回行って、さらにもう1回加えることによって願いがかなうという、昔ながらの風習があります。

マーケティングの理論では、顧客との良好な関係を築く際に、フォローメールやDMを7日おきに3回送っていくと、反応率が上がるという統計データがあります。

そうじ力ではどうでしょうか？

多少個人差はありますが、そうじ力をはじめて21日目あたりから、その人にとっての驚きの気付きと、そこからあふれ出るパワーを得る人が続出している事実があります。

21日間続けたあたりで、**潜在意識に何らかの影響**があるのでしょう。

せっかくはじめたのであれば、三日坊主×7回で21日目のパワーと達成感を、ぜひ体験してみてください。

習慣形成の法則では3日続けば1週間続き、1週間続けば1ヵ月続き、1ヵ月続けば3ヵ月。その後、半年、1年と続き、3年続けばそれが習慣となっていきます。

「三日坊主法」は実践へのきっかけづくりへ、「21パワー法」は習慣化へのプロセスとして使ってみてください。

そうじで悟りを開いた「周利槃特《しゅりはんどく》」

そうじの習慣化で悟りを開くまでになった、お釈迦様・仏陀の弟子、周利槃特《しゅりはんどく》のお話しをしましょう。

槃特は、頭が非常に悪く、愚かだといつもみんなに馬鹿にされていました。

どのくらい愚かだったかというと、ときどき自分の名前すら忘れてしまうほど、頭が悪かったのです。

周りの仏弟子からバカにされていた周利槃特は、あまりの自分の愚かさを嘆いて、仏弟子をやめようと思い、仏陀のもとを訪れます。

「仏陀よ、私はあまりに愚かなので、もうここにはいられません」

その時、仏陀が彼にこう言います。

「自分を愚かだと知っている者は愚かではない。自分を賢いと思い上がっている者が、本当の愚か者である」


すっかり弟子をやめようと思っていた槃特は、一瞬キョトンとします。

そして、仏陀はこう続けます。


「おまえは難しい説法はさっぱりわからないようだから、ひとつだけ教えてあげよう。ここにほうきがあるから、このほうきを持って庭を掃きなさい。落ち葉を掃いたり、ゴミを掃いたりしなさい。そのときに『**塵を払い、垢を除かん**』とくり返し言いながら、ほうきで掃いていきなさい」

とお説きになられました。


仏陀にそう言われて、うれしくなった槃特は、たまに忘れそうになりながらも、

「塵を払い、垢を除かん」と唱えながら、そうじをしていきます。

1年、2年、5年、10年……と、ひたすらにやっていきます。

その姿勢に、はじめはバカにしていた他の弟子たちも、しだいに彼に一目置くようになったのです。

やがては、仏陀から言われたことを、ただ黙々と、淡々とやり続けるその姿に、周りの人々は心から尊敬するようになったのでした。

槃特は、そうじをし続けるうちに、「ああ、人間も同じなんだ。心の中にある塵や垢を除くことが大事なんだ」と気が付きました。

そして、ついに槃特は仏教でいうところの「阿羅漢《アラカン》」の境地に到達したのです。

「阿羅漢」とは、反省修行をおこなって、心の汚れや曇りを落とし、第一段階の悟りを得ることです。

この周利槃特は、素直に実践し、それを持続させたことによって、他の優秀な弟子より早く悟ったのです。

この悟るということは、現代の私たちで言えば、成功するということではないでしょうか。

集中して毎日毎日ほうきを持ってそうじをし続けたということが、周利槃特の人生を好転させ、悟りをも開くことができたのです。

成功法則の原点

経営の神様と呼ばれる松下幸之助さんは生前、松下電器の工場の大そうじ終了後、視察に行ったそうです。

トイレそうじが行き届いていないことを確認すると、ぞうきんとバケツを持ち、自らトイレそうじをしたという有名なエピソードがあります。

また晩年、日本の未来を担う指導者を自らの手で育てたいという、並々ならぬ決意のもと、私財70億円を投じて設立した松下政経塾でも、そうじを中心に取り入れていました。

あるとき、塾生のひとりが「なぜそうじをしなくてはならないのか？」と質問しました。

松下さんは激しい口調で、**「自分の身の回りをそうじできない者が、どうして天下国家をそうじする仕事ができようか」**と語られたそうです。

松下さんは、塾生たちに「政治や経済の勉強をしているか」ではなく、「しっかりそうじをしているか」と尋ねていました。

このように、経営の神様と呼ばれた松下幸之助さんの原点はそうじにあったのです。

ここまで読まれた方は、もうお分かりになったことでしょう。

そうじ力には、すべての成功法則の原点があるのです。

最近では、いろいろな方法で夢をかなえたり、幸運の流れに乗ったりする方法が世の中には出回っていますよね。

確かにそれらは画期的に見えますし、人によっては効果的ではあると思います。

しかし、そうじ力こそ、誰もが簡単にできますし、効果も目に見えて分かります。

また、成功法則の重要なポイントである「習慣化」もしやすいのです。

これは、多くの偉大な先人たちが、必ずあたりまえのようにそうじの大切さを説き、実践していることからも分かると思います。

世界をそうじ力で輝かせたい！

現在私は、「そうじ力研究会」として、企業向けに環境整備コンサルティングをしています。

ここで痛感するのは、そうじの力を知らない人が多いということです。

飲食店であるのに、トイレは汚い、空調はほこりだらけ、厨房は油でギトギト……。

そのような環境を放置して、

「売り上げが上がらないんです」

と相談に来る社長さんが多いのです。びっくりです。

私は、いつも言います。

「そうじで会社は確実に変わります」と。

「そうじ力研究会」では、まずマイナスの磁場になっているところをお伝えします。そして、カルテをつくり、計画に基づいてプロの清掃スタッフに、徹底的にキレイにしてもらいます。これで、発展しない会社はありません。

このそうじ力で、私は、もっともっと日本の企業を元気にしたいと思っています。世界に貢献できる企業がどんどん日本から誕生してもらいたい。そして日本が、世界のリーダーとなって他国を率いる国になるべきだと思っております。

もっともっと、発展繁栄するべき国なのです。

世界にも、そうじ力を広げていこうと考えています。

国境を越え、人種を超えて世界の人たちがそうじをするイメージをいつも描いています。

いまの私の夢は**「世界をそうじ力で輝かせること」**です。

そして、いつの日か「世界そうじDAY」をつくりたいと思っています。

その日は地球に感謝して、世界各国でそうじをするのです。

戦争も一時休戦をして武器を整理整頓して、もう必要なくなった、核ミサイルは思い切って捨てるといいのです。

各国の首脳が、一堂に集まりそうじするのもいいかもしれません。

全世界の人たちと一緒にそうじをして汗をかくと、地球人としての仲間意識がめばえて、友情が生まれるでしょう。

その日一日だけはとくに地球が輝いて見えるはずです。

地球も喜んでくれるはずです。


こんな夢を実現したいのです。

そのためには、まずはみなさん一人ひとりの夢の実現をしていただきたいのです。

あなたに大発展してもらう必要があるのです。

そして、発展したら私に力を貸してください。

そうじ力の素晴らしさを伝えてください。

さあ、運命を大逆転しようじゃないですか。
勇気を持ってぞうきんを手にしてください。
そして、目の前にあるものを一拭きしてください。
そこから未来が変わります。
そうじ力を実践し続けていくとき、必ず道は開けてきます。
現在、大きな悩みのふちにいる方も、必ず道が開けていきます。
運命は必ず好転していきます。
あなたがいることで周りも元気になる、やる気が出る、夢が持てる、希望が持てる。
そんなあなたになっているはずです。

どんどん夢がかなっていきます。
どんどん幸せになっていきます。
なぜ、そうなるのかって？
それが「そうじ力」だからです。

あとがき

原稿を書き終えて、妻と一緒に自宅の大そうじをしました。
書きはじめる前にもそうじをしましたが、そのときはこれからの新しい自分たちにとって不必要なものをゴミ袋（45ℓ）、4袋分も捨てました。

あれから、3ヵ月しかたってないのに今回は、なんと、6袋も出たのです。
心境が変化することで不必要になるものもどんどん変わるものだと思います。
レンジフードも分解をして、ギトギト油を徹底的に取り除きました。
キッチン、洗面所、洗濯台、浴室の排水口の中もピカピカです。
バルコニーも洗い、ガラスも磨き、最後に拭きそうじをして汚れを追い出しました。
抄り塩を撒いて、掃除機で吸い取り、スッキリした磁場空間ができ上がりました。

いつものように「ありがとう空間」をつくろうと思い、ぞうきんで一拭き、「どうも、ありがとう」と言った瞬間、なんだか涙が止まらなくなりました。

ありがたい気持ちが、胸の奥底から幾度もこみ上げて来て止まらないのです。

35歳を過ぎ、いままで与えられっぱなしだった生き方を反省し、「よし、これからは与える側に立つ、社会に貢献する」と決意をし、この本を世に出すことになりました。

その過程の中で、さまざまな人に協力をいただいて完成させることができました。

結局はまたいっぱい与えられてしまいました。

総合法令出版の金子尚美さん、言葉では言いあらわせないほどにお世話になりました。ありがとうございました。

上出真輝さん、あなたの協力あってこそ完成させることができました。ありがとうございました。

荻田千榮先生、何度も何度も励ましのメールありがとうございました。

そして、共に朝4時に起きて原稿を書くのを手伝ってくれた妻、麗、君の優しさ、献身、愛に心より感謝します。ありがとう。

最後に無数にある書籍の中より、本書を選び、最後まで読んでいただいたあなたに心より感謝をささげます。

ありがとうございました。

私の貢献の旅ははじまったばかりです。

窓から入り吹き抜けていくこのさわやかな風のように、透明さを失わずにこれからもそうじ力を広めていきたいと思います。

感謝のエネルギーに満ちている港区高輪の自室にて。

参考文献一覧

『割れ窓理論による犯罪防止』(G. L. ケリング著　C. M. コールズ著　文化書房博文社)

『看護覚え書』(フロレンス・ナイチンゲール著　現代社)

『決断の経営』(松下幸之助著　PHP研究所)

『新訳 経営者の条件』(P・F. ドラッカー著　ダイヤモンド社)

『一倉定の社長学9巻・新社長の姿勢』(一倉定著　日本経営合理化協会出版局)

『掃除が変える 会社が活きる』(山本健治著　日本実業出版社)

『ビリオネアに学ぶ「億万の法則」』(サクセス・マガジン、リチャード・H.モリタ著　イーハトーヴフロンティア)

『ザ・リバティ』(2004. 12月号　幸福の科学出版)

『ガラクタ捨てれば自分が見える』(カレン・キングストン著　小学館文庫)

『社会人として大切なことはみんなディズニーランドで教わった〈2〉』(香取貴信著　こう書房)

著者紹介

舛田光洋（ますだ・みつひろ）

1969年6月21日生まれ
そうじ力研究会代表
天国的価値観を提供する　ヘヴンワールド代表
そうじには人生を好転する力があることを発見し、「そうじ力」による磁場の改善、心の改善から運勢好転を提唱。中小企業環境整備コンサルタントとして「そうじ力」を導入した独自の企業発展プログラムを開発し、多くの経営者から高い評価を得ている。最近では個人向け「運勢好転そうじ力セミナー」を開催、全国各地で活躍中である。

【連絡先】
HP：http://www.heaven-world.com
E-mail：elmitu77@yahoo.co.jp

夢をかなえる「そうじ力」

2005年8月4日　初版発行

著　者　舛田光洋
発行者　仁部　亨
発行所　総合法令出版株式会社
〒107-0052　東京都港区赤坂1-9-15　日本自転車会館2号館7階
電話　03-3584-9821（代）
振替　00140-0-69059

印刷・製本　中央精版印刷株式会社

落丁・乱丁本はお取替え致します

ISBN4-89346-912-6
総合法令出版ホームページ　http://www.horei.com